U0134022

第一章　素描入门

一.概述

　　素描静物写生是素描基础能力训练中，继几何形体后的进阶基础训练，素描静物写生训练是通过对简单形体的描绘，提高分析认识自然界各类复杂形体造型规律的能力，并掌握更高的素描表现技法。画好素描静物，能对画好色彩静物起到相当大的铺垫作用。很多人在素描基础训练过程中，因素描静物写生的基础不够扎实，因此在色彩静物写生中就会感到力不从心，始终不能将色彩静物的立体感画好，有的人甚至连最基本的形体结构也不能准确把握。所以我们在素描静物写生这个环节中，一定要一步一个脚印，扎扎实实地将素描静物画好，这直接关系到素描真人头像和色彩静物的得分高低。

二.材料与运用

　　初学素描者一般宜选择使用素描专用纸。在铅笔选择上，以2B、4B、6B、8B为宜，起稿时一般用2B铅笔，暗部则一般使用6B或者8B铅笔。橡皮就用市面上很普遍的绘图橡皮或者橡皮泥。

　　其实绘画材料和工具只是一个方面，最关键是在于要学会使用。初学者应该大胆地画线，画静物外形的时候，尽量多画辅助线，少用橡皮。

　　铅笔是死的，人是活的，最重要的是人要学会把铅笔用活。

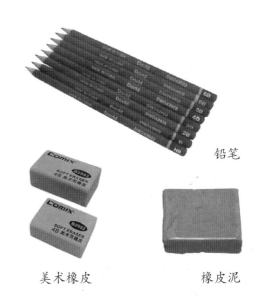

铅笔

美术橡皮　　　　　橡皮泥

三.观察与理解

1.观察

　　很多同学根本就没经过画前观察这个环节，粘好画纸，提笔就画，画错就擦，一幅画的起稿阶段，往往用橡皮的时间比用铅笔的时间还要长。这样的学生经常会在起稿阶段的构图和形体塑造上花很多时间，而且还不容易将形体画准，最后导致无法将画面深入下去。

　　作为初学者要养成认真分析、整体观察、反复比较的作画习惯。因为初学者的错误率多于正确率，修改时间多于刻画时间。从整体的角度对刻画的局部进行感受式观察，并将感受的结果同对被画对象的感受式观察结果相比较，发现差异以后，再将画面的差异部分和对象的对应部分相比较，找出差异的原因，并及时调整。不仅要定点观察，还要以不同角度全面观察，尽量使自己明确对象的整体及主要特征。在画素描静物中，跟石膏几何体一样，需要兼顾的方面有很多，如线条、光线、形象、空间、比例和内在结构等几大造型要素，忽略其中任何一种要素都会影响整个画面的质量。在画前要充分观察写生对象的主次关系、形式特征、色调变化、前后虚实和质感差异等，才能开始作画。

　　关于构图方面，这里为初学者推荐两种构图方法，如下图：

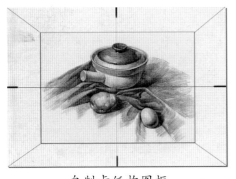

　　　　卡纸的长宽比例大致与素描纸比例相同，这样能够很直观地截取构图，是很有效的办法。

自制卡纸构图框

　　　　直接使用双手作如图交叉状，通过调整双手与眼睛之间的距离来截取对静物在画面中的构图。

手指框

　　构图的原理就是把要画的东西在画面上摆放到合适的位置，使人对其产生一种艺术的美感。经过观察以后，首先要在大脑中对画面的整体构图作出"规划"，如果一幅画的构图不好，将会影响到画面的整体效果和艺术感受。

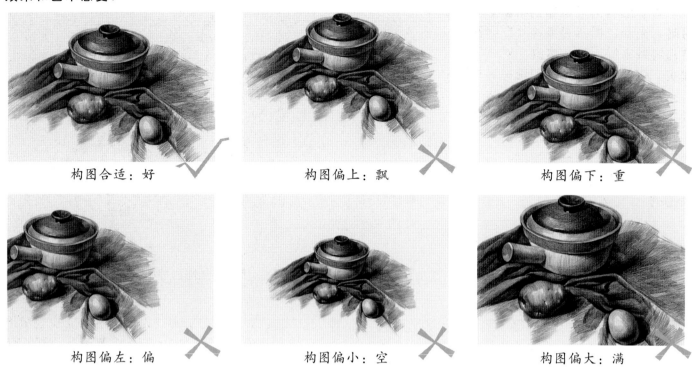

| 构图合适：好 | 构图偏上：飘 | 构图偏下：重 |

| 构图偏左：偏 | 构图偏小：空 | 构图偏大：满 |

2.理解：

　　平时我们所画的静物多以日常生活中常见的物品为主，例如水果、蔬菜、盘子、罐子、衬布及日常小生活用品等各种有着不同材质的，不同色彩的物品都可以成为素描静物的绘画对象。这些物体看似差别很大且都很复杂，但是仔细分析就会发现它们都是由最基础的形体所构成的。

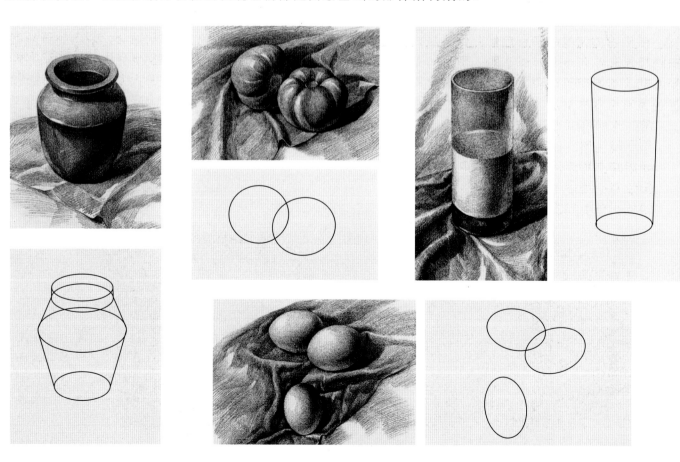

第二章　结构明暗

一.形体结构

对于结构的理解和剖析就是抛弃了明暗、光影、质感等多种外在因素，以结构线条来描绘形体本身。对一般采用虚实、强弱对比的线条和透视剖析的分析方法，将形体的结构关系及物体的前后、左右的空间关系表现出来。这种方法能锻炼初学者对简单形体的空间结构的理解，能将物体画得更加扎实，为以后石膏像和真人像的艺术创作打下坚实的基础。

二.明暗色调

明暗是表现物体立体感、空间感的有力手段，对真实地表现出对象具有重要的作用。明暗素描适用于立体地表现光线照射下物象的形体结构、物体各种不同的质感和色度、物象的空间距离感等等，使画面形象更加具体，有较强的视觉效果。

同一个物体虽然由于不同角度的光线照射而出现不同的明暗变化，但是光线不会改变物体的结构，因为物体的结构是固定的，而光线是可变的。

物体受光后出现受光部和背光部，即明、暗两大系统。如果细说的话，物体在光线照射下会出现三种明暗状态，称三大面，即：亮面、中间面、暗面。物体靠近光源越近，亮的更亮，暗的更暗，对比强烈；反之光源越远，亮面越弱，暗面越灰，对比越弱。

由于物体结构的各种起伏变化，造成的明暗层次的变化是很多的，我们把这种变化所表现出来的层次归纳起来称作明暗五大调，即：高光、中间色、明暗交界线、反光、投影。其中亮部和中间色属于物体的受光部，明暗交界线和反光、投影属于背光部，它们构成物体的明暗两大关系。三大面的光色明暗一般又显现为五个基本层次，即五大调：

①高光即物体直接受光，且反射光线最强烈部分；

②中间色即灰面，半明半暗；

③明暗交界线即亮部与暗部转折交界的地方；

④投影即物体背光面映出的阴影部分；

⑤反光即受周围反光的影响而产生的暗中透亮的部分。

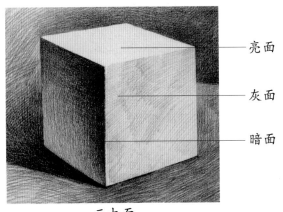

亮面

灰面

暗面

三大面

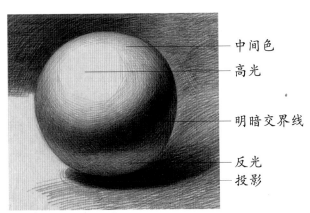

中间色

高光

明暗交界线

反光

投影

五大调

要把画面的空间感、物体的质感和量感表现到位，最重要还得把握好明暗五大调的规律。把握好了这些明暗造型规律，画面的艺术效果会得到很大的提升。

明暗交界线是亮部和暗部转折部分，虽然我们都称其为"明暗交界线"，但实际上是"明暗交界面"，也有浓淡虚实和宽窄的变化，与光源的强弱和物体的形体结构特征是息息相关的。

暗部的整体包括背光部和反光部，暗部的明暗程度直接影响到画面的空间和物体的质感塑造。暗部的色调不能过亮，否则跟中间色相近，显得孤立，也不能黑成一块，显得太板。

中间色是物体的固有色区域，是画面上最复杂，最细致的部分，需要认真分析和刻画。

投影在塑造物体的体积感和空间感中的作用是不可或缺的，物体投影的变化跟光线和衬布的关系也很密切。

五个调子是一切物体在一定光线下明暗变化的最基本格局，其具体明度的差别，要根据具体对象和具体光线去比较表现。

五大调的明暗对比的顺序是：白—高光＞亮灰＞反光＞中间色＞明暗交界线—黑。

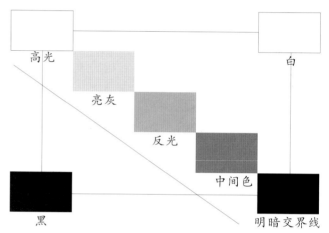

线作为主要的表现因素，排线的好坏直接影响物体的质感及画面的层次，会导致最终能否达到理想的画面效果。所以初学者必须学会画线，掌握正确的排线方法，运用生动多变的排线可以表现形体的体面转折、肌理质感、光影色调及空间深度。当然，排线没有绝对的对错之分，这里介绍的正确排线方式更适合于初学者。

| 正确的线条 | 正确的排线 | 头重脚轻 | 拉丝牵连 | 胡乱涂抹 | 僵化死板 | 杂乱无章 |

排线还要讲究方向，要随物体的结构转折而变化。硬铅色浅，可以用来画亮部的细节线，软铅色深，可以用来铺暗部的面。

第三章　作画步骤详解

一.分步讲解

1.观察起稿：

　　首先用线条确定构图的空间，再确定画面中物体的最高点和最低点，然后利用辅助线确定物体的大致位置，要反复比较、修改，将物体在画面上的位置安排好，使整个画面有一种和谐的美感。然后再用长方形确定物体的大小和前后关系，因为大小的概念是相对的，所以画面中物体的大小依然是要靠物体间的相互比较才能看得出来的。多用重要的辅助线划分比例来确定位置，用长而直的线画大的形体关系，用切线画出小的结构转折关系。

　　提示：多观察、多对比、多修改、多画辅助线。

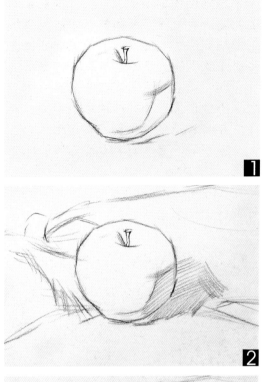

2.塑造形体：

　　把画面的整体大小、比例关系确定以后，再仔细观察、对比，确定物体的整体结构、空间位置，先用虚线依据物体自身的结构关系勾勒出物体的大体外形和内部结构。再找出物体的明暗交界线和投影位置，用概括的线条表现出画面的明暗和虚实变化，即用深色线、实线表现近处和暗部，用浅色线、虚线表现亮部和稍远的部分。这样前面的物体对比强烈，后面的物体对比较弱。

　　提示：结构没有画准，不能画明暗调子。

3.深入刻画：

　　先根据光影关系确定画面最深和最亮的部位，再用深色铅笔从整体到局部，从大到小地确定形体的明暗关系，然后逐步深入地塑造对象的体积感和质感。对质地坚硬光滑的物体，如金属、陶器、玻璃等，要用严密的线条、均匀的色调；较松软的物体如类似毛绒、棉布等纤维较多较蓬松的物体，要用较松散的线条，色调不要过于均匀，色调中要有较鲜明和较琐碎的笔触。对重要的、关键性的细节要精心刻画，画面要有主次，虚实关系要拉开，突出要表现的主体物，这样的画面才会有层次感。

　　提示：排线的方式及方向对于物体质感的刻画起很大的作用。

4.调整检查：

　　每当完成对物体某一个部分关系的表现后，要将这一部分的形体关系放到整个形体里去检查，看它是否与整体关系相符合。只有经常从整体的角度去检查你所画的每一处，才能有效地避免形体关系上的错误。

5.完成画面：

　　修改并调整画面，直至完成。

二.步骤示范

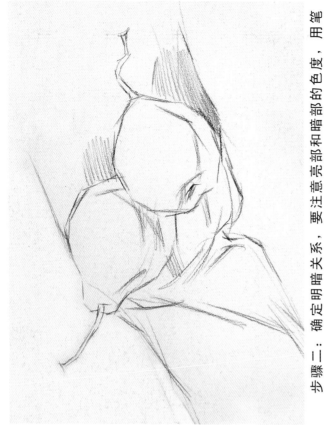

步骤二：确定明暗关系，要注意亮部和暗部的色度，用笔要均匀，一边观察一边作画。

步骤四：仔细刻画亮部，区分白和灰的颜色深浅层次，铺设背景色调，达到画面和谐。

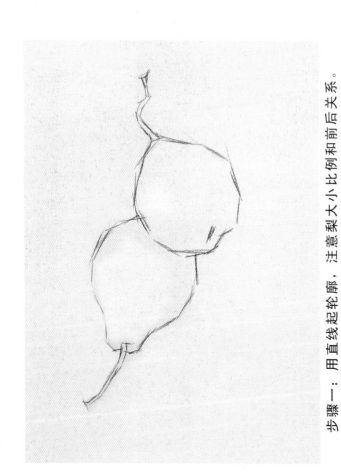

步骤一：用直线起轮廓，注意梨大小比例和前后关系。

步骤三：塑造物体的体积感和质感，用笔要跟着结构走，色调的衔接过渡要谐调。

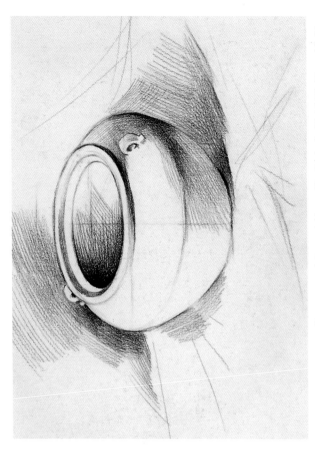

步骤二：完成大的比例、形体，从明暗交界线画起，铺设暗面和投影的调子，拉开画面的明暗对比关系。

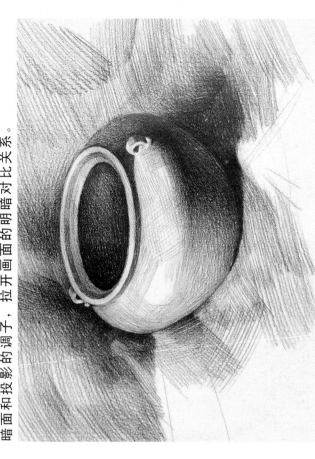

步骤四：开始刻画罐子的灰面和亮面的细节部位，尤其注意对罐口的刻画。

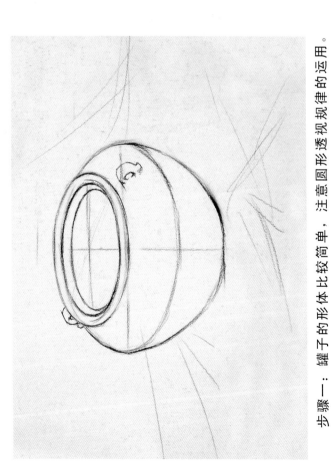

步骤一：罐子的形体比较简单，注意圆形透视规律的运用。

步骤三：进一步深入刻画罐子的暗部和投影。

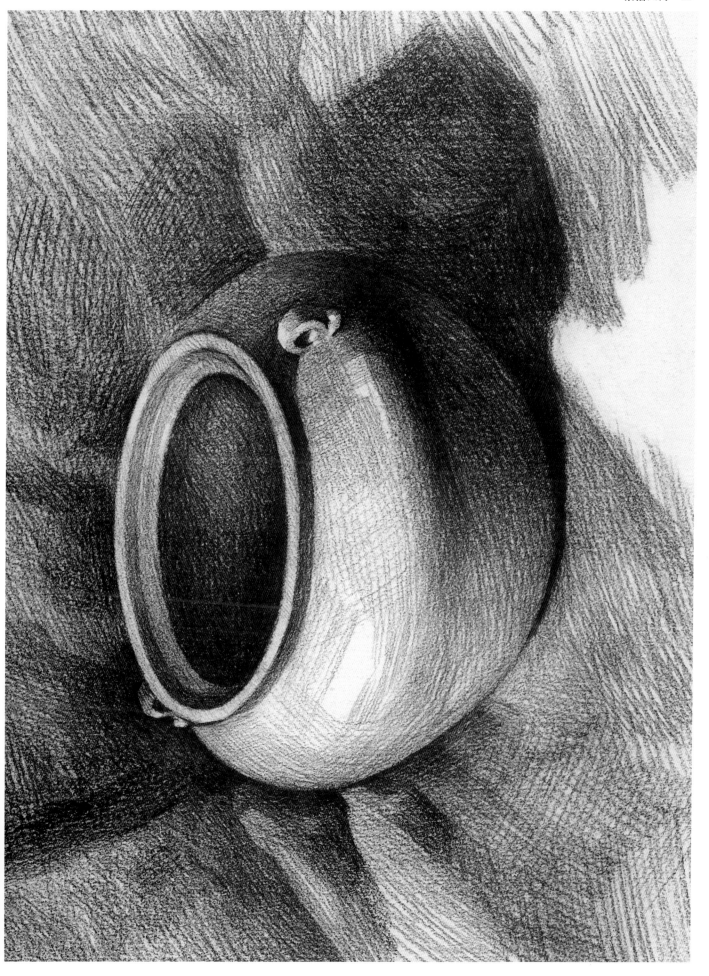

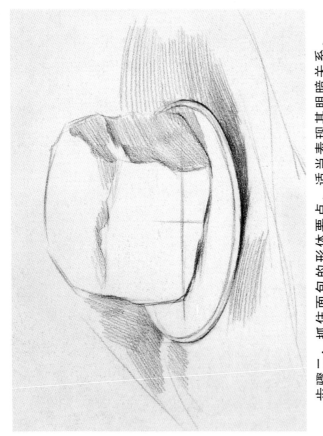

步骤二：抓住面包的形体要点，适当表现其明暗关系。

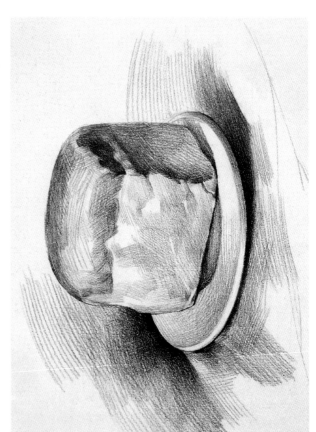

步骤四：刻画细节部分，反复检查形体是否准确。

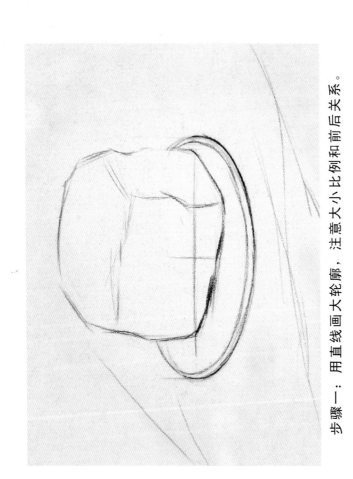

步骤一：用直线画大轮廓，注意大小比例和前后关系。

步骤三：用明暗块面塑造面包的体积感。

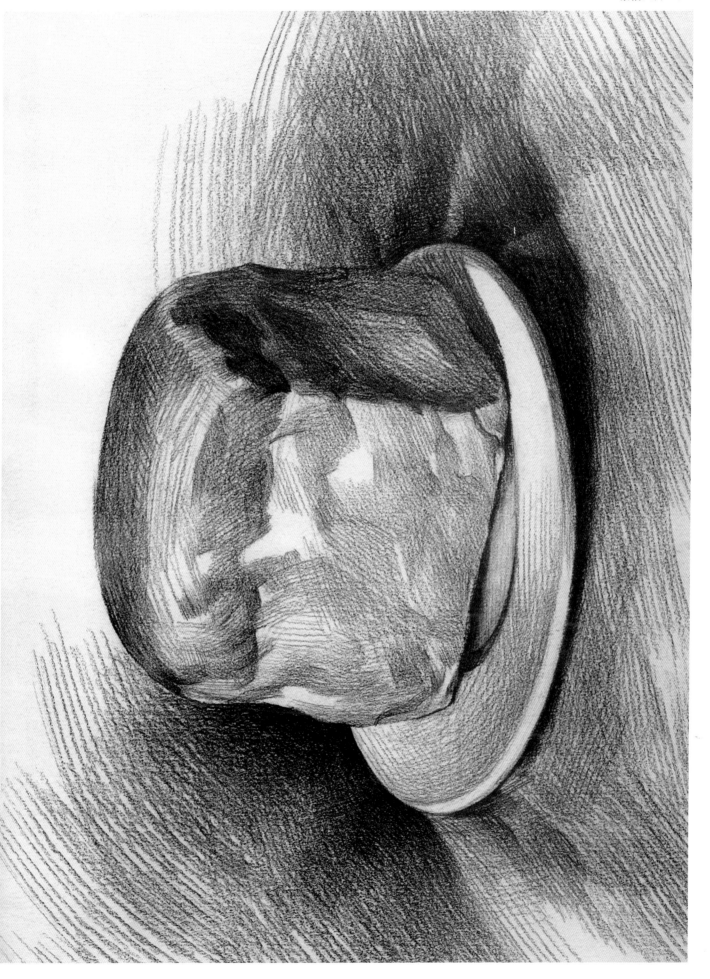

步骤二：用简单的色调表现白菜的大体明暗关系。

步骤四：针对白菜茎叶上的小褶皱等细微部分作深入刻画。

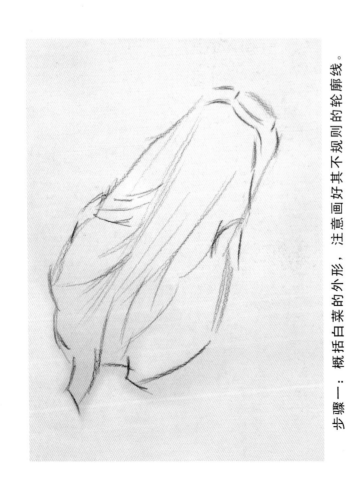

步骤一：概括白菜的外形，注意画好其不规则的轮廓线。

步骤三：深入表现明暗关系，确立白菜的体积感。

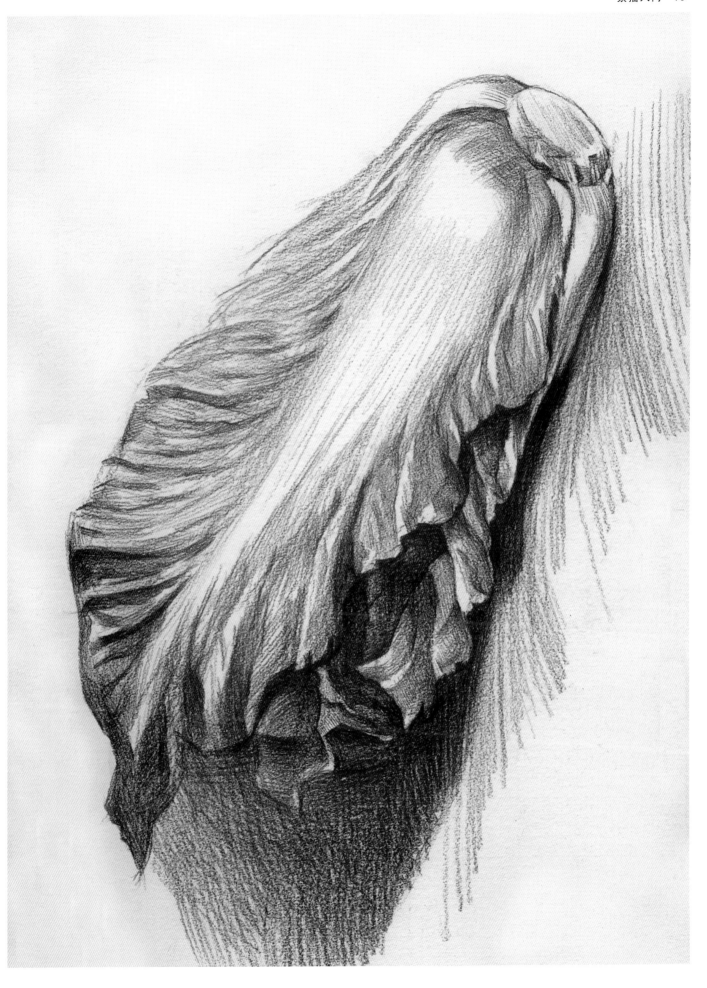

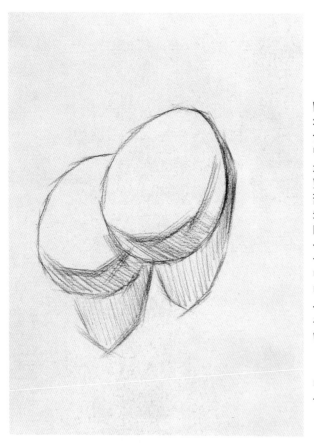

步骤二：适当表现明暗交界线附近的明暗关系。

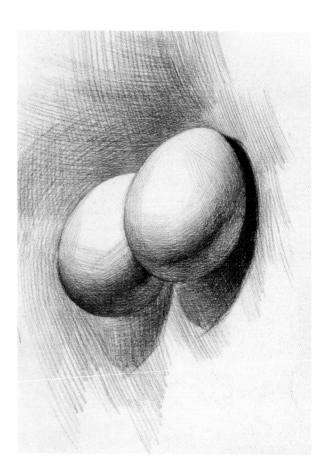

步骤四：体积关系确立后，要在色调上分清两个鸡蛋的空间位置关系。

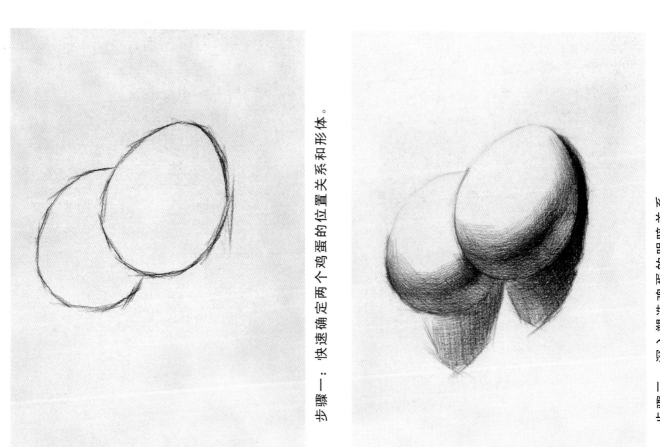

步骤一：快速确定两个鸡蛋的位置关系和形体。

步骤三：深入塑造鸡蛋的明暗关系。

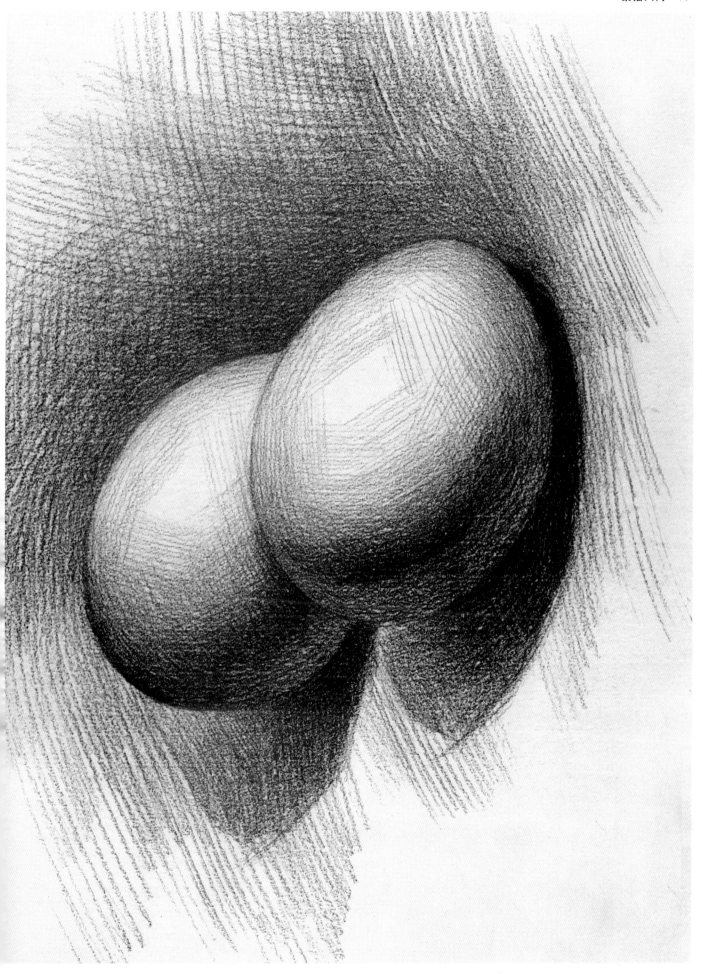

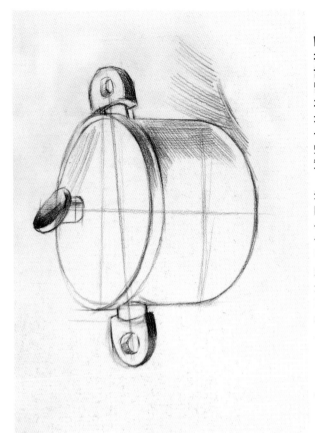

步骤二：抓住形体的明暗交界线，铺设大体的明暗关系。

步骤四：深入刻画。不锈锅的高光部位较多，注意对质感的刻画。

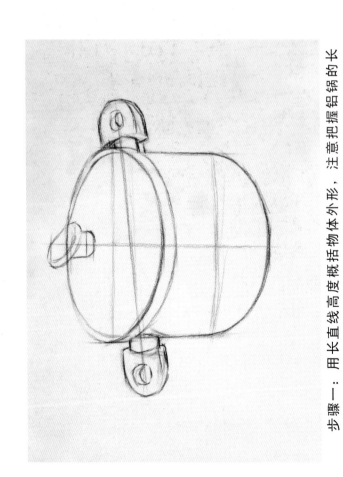

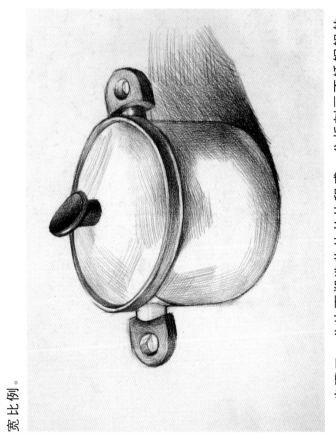

步骤一：用长直线高度概括物体外形，注意把握铝锅的长宽比例。

步骤三：分块面塑造物体体积，分析刻画不锈钢的灰面和暗面的明暗关系。

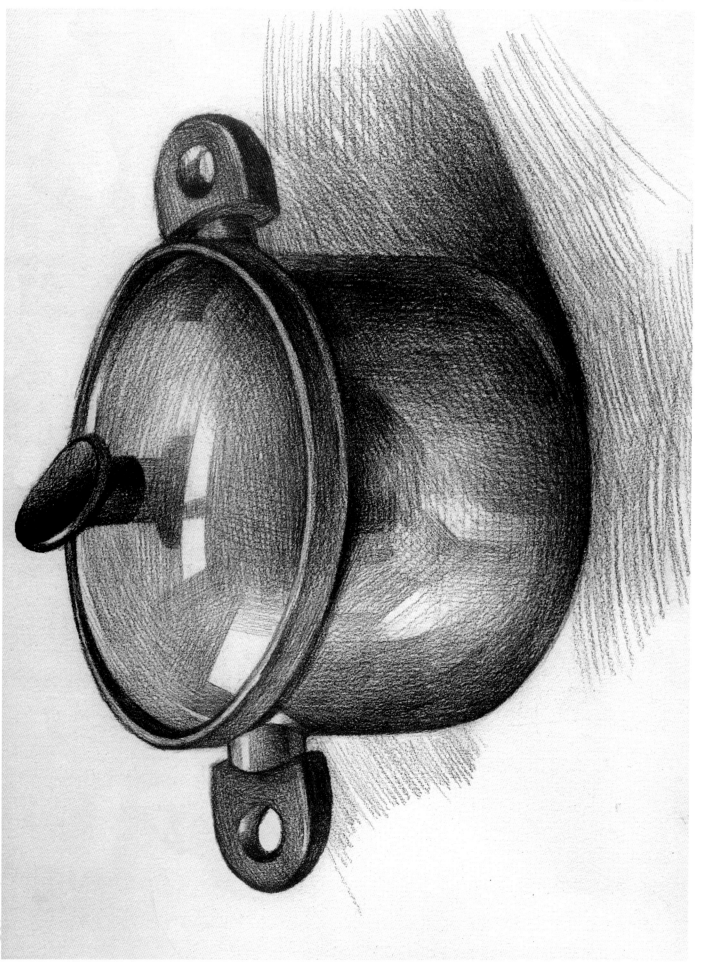

步骤一：确定出玻璃杯的位置及其外形。

步骤二：用明暗调子画出杯子的明暗交界线和投影。

步骤三：明确对杯子质感和液体形态的刻画。

步骤四：将细节刻画到位，特别是对玻璃质感的物体进行刻画时要注意暗部深，高光强的特点。

步骤一：玻璃酒瓶的形体类似于画圆柱体和圆锥体。

步骤二：确定明暗交界线的位置，找准玻璃酒瓶的深色部位。

步骤三：深入表现酒瓶时，明暗关系要保持一致。

步骤四：将细节刻画到位，表现玻璃的坚硬和透明的质感。

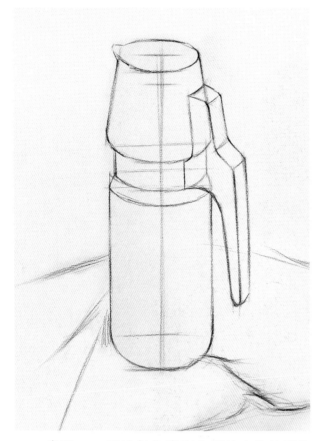

步骤一：用线条先确定水杯的大体轮廓和空间关系。

步骤二：用软铅铺设简单的明暗关系。

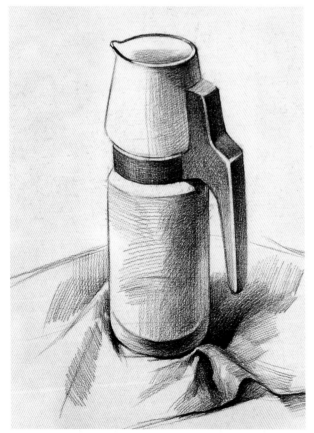

步骤三：从大块面出发，塑造形体关系。

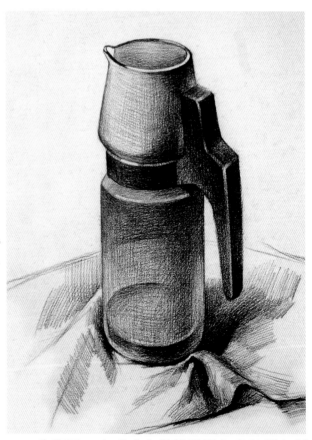

步骤四：由明暗交界线逐渐向亮部深入刻画，注意保持物体的明暗对比关系。

步骤一：分析可乐瓶的几何构成，有助于理解可乐瓶的结构关系。

步骤二：找准明暗交界线，确定明暗关系。

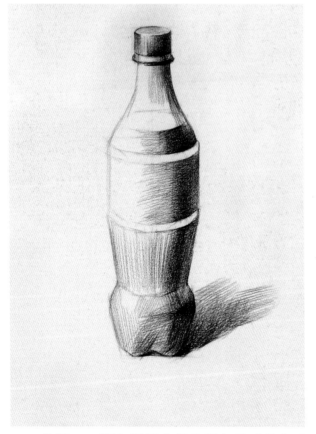

步骤三：深入强调空间关系与质感的表现。

步骤四：刻画塑料瓶的反光和高光，让质感的表现更加真实。

步骤二：虽然香蕉是三个连在一起的，但是要当作一个整体来画，整体铺设明暗调子。

步骤四：大体比例关系已经确定，注意继续调整深入。香蕉的前后关系及虚实对比要拉开。

步骤一：起稿时，多使用长线条，这一过程需要反复比较。

步骤三：要整体观察整体作画，不能先画完其中一个再画另一个，这样不利于把握画面色调的整体关系。

步骤一：先确定陶罐的宽和高，然后逐步找准外形。

步骤二：适当表现明暗交界线及投影。

步骤三：深入进行明暗关系的刻画，注意调子要符合陶罐的形体结构。

步骤四：调整并检查画面。陶罐表面较粗糙，暗部受环境色影响较小。

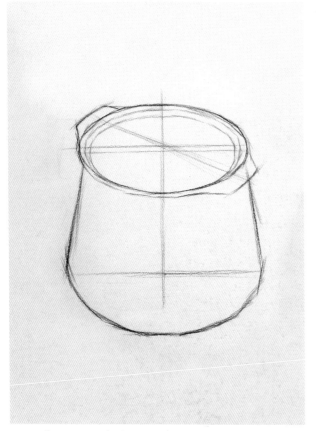

步骤一：确定形体，注意画出罐口的厚度。

步骤二：注意转折面的关系，多观察，多修改，形体准确了才能铺设明暗调子。

步骤三：画出罐子的明暗交界线及投影。

步骤四：深入刻画陶罐的灰面和细节部分，注意对陶罐质感的表现。